文史哲詩叢之5

青溪涓涓流過

藍善仁著

文史哲出版社印行

國立中央圖書館出版品預行編目資料

青溪涓涓流過 / 藍善仁著. -- 初版. -- 臺
北市 : 文史哲, 民８１
面 ; 公分. -- (文史哲詩叢 ; 5)
ISBN 957-547-117-2(平裝)

851.481

⑤ 文史哲詩叢

青溪涓涓流過

著者：藍善仁
出版者：文史哲出版社
登記證字號：行政院新聞局局版臺業字五七五七號
發行人：彭正雄
發行所：文史哲出版社
印刷者：文史哲出版社
台北市羅斯福路一段七十二巷四號
郵撥〇五一二八八一二彭正雄帳戶
電話：三五一一〇二八

實價新台幣三六〇元

中華民國八十一年四月初版

ISBN 957-547-117-2

自序

曹子建在與揚德祖書中說：「詞賦小道，固未足以揄揚大義，彰示來世也，昔揚子雲先朝執戟之臣耳，猶稱壯夫不爲也」。寫詩，的確沒有大吹大擂之必要，這是我出自內心的想法，因此，雖然寫了幾十年的詩，動機祇因爲自己喜歡詩，曾在各報刊刊載的詩作，積稿盈尺，但始終沒有掀起結集成書念頭，這是我首先向我的朋友及讀者告白的。

爲甚麼到了年近古稀的西山時刻，又掀起了結集成書的念頭呢！原因是歸田之後，日子較閒，與當代文壇詩圃的名家接觸機會較多，且涉及面亦較廣，許多前賢後秀，皆成文友，因此諸多作家文友，大作源源問世，每有結集新書，總是不忘厚我，一一贈送，如斯，書櫃中珍藏了許多朋友贈書，欠下書債，不下數百餘冊，在我一生立志不欠債的心念中，形成一大負擔。尤其大陸接觸後，拙作一再受大陸轉載及收入專輯，故舊新知，時多來信索書，一時確感汗顏。且諸多門生後學，頻頻催請，在此種種情況下，祇得放棄「獻醜不如藏拙」的堅持，將全部積稿加以清理，發覺倘若僅結集一二冊，篇幅委實太大，乃將全部刊載稿件，按性質區分成六輯，並擬定書名爲「心靈上的陽光」，「青溪涓涓流過」。「太陽照不到的地方」，「響自我心弦上的歌」，「交流道上」，「老婦人的佛心」，擬分三年出版完成。今年先將「心靈上的陽光」與本輯「青溪涓涓流過」成書。

回顧一生用筆成篇，點點滴滴詩心流露，一向抱持決不嘩眾聚寵，再不無病呻吟原則，正如青溪之水，澄清無污，輕聲不憾，故以青溪涓涓名書，收集近十年自以爲喜歡之作共九十五篇，詩心不敏，亦許見笑方家，但言正詞明，絕無遺毒後學之慮，雖未必能登大雅，於心亦就能安了。倘能因此拋磚，能獲方家先進，見病批判，示我以大惠，厚我於導教，則更幸甚也！是爲序。

辛未年夏末藍善仁序於桃園居

青溪涓涓流過　目　錄

月亮又是中國的最圓

——迎接八十年代的中華世紀

零時的月影　總是那樣
在我的書架上蠕動
子夜　正是我寫完
三百六十五行長詩的時刻
那時正是一九八〇年的誕生

一九七九年的
最末十二聲鐘弦響起
許多和我同樣的語言在歡呼
歡呼一個新的時刻來臨
歡呼八十年代的中華世紀巍巍升起

於是雄獅齊吼震天爆響
我們就這樣昂揚進入今日大國
我們就這樣成爲世界巨人
於是月亮又是中國的最圓

在萬樓晨曦燦爛下
宇宙一切都在變
變得特別忙碌
連春雷亦不能甜睡　怕誤過
中國人埋葬依賴的時刻
沒有配樂歡欣的鼓舞　怕誤過
國人站起來成爲森林威武的日子
沒有震天撼地的威儀
於是世界上許多人　都在忙著
忙著和中國人握手言歡
忙著熟讀中國人昨天的軌跡
忙著找墊腳石和中國人比高

從他們內心對中國的欽敬
譜曲歌頌　唱讚
泱泱大國
重放歷史之光
於是月亮又是中國最圓

原載六十九年一月三日台灣新聞報

為誰風露立終宵

愛情總是那樣盤根錯節
像一顆樹　一叢花
種植在人們心上

情話每一句都似契約
將彼此纏得緊緊的
除非腦袋不在肩上
除非月亮不照大地
否則　你知她知的事
不會被風吹去

玉階怨的心態　連綿不絕

5　爲誰風露立終宵

從李白醉後直到現在
月亮下　總是常有許多人
如斯站著　站著
待喝完一季春愁
便隨月亮死去
然後擁抱著夢　去問晨風
你常留半空　爲的是
想氣呑那朵雲煙　永不息腳
究竟又是　爲誰流浪

原載六十九年四月三日新聞西副

烽火在遍處燃燒

不是現在烏鴉不叫
不是現在沒有戰爭
而是不用陣　不用旗
提升成爲風　成爲流
成爲年輕一代的時髦

刀不算甚麼　槍亦不算甚麼
原子彈是否權威
人心早有認定
從此操典已失價值
從此長城不再是屏障
從此要塞分設在人民心上

烽火處處　未能燎原
迺人性揉和戰爭哲學
尚存幾分韌性

在人類智慧爆炸　人性瘋狂下
祇有小花狗還會畏懼戰爭
一聲霹靂便捲尾躲藏
人早習慣了過槍林彈雨的生活

在許多人生的作爲上
普里斯萊最權威　把人們
帶入一個瘋狂的世界
披頭嬉皮迅速傳染
從此　由搖滾震撼
進入大麻煙的飄飄然下　於是
自由語言　服式隨便
封閉庭院　性的開放

然後 從迪斯可的麻醉下
摘下人性的道貌岸然
去裸奔 掠奪
作野狼飽餐的滅絕人性
然後 揭幕一連串的
代替戰爭 大國遊戲 因此
李承晚低頭敗走
吳廷琰倒下去了
龍諾倒下去了
阮文紹倒下去了
朴正熙倒下去了
巴勒維亦倒下去了 然後
石油在咆哮
巴基斯坦人在發狂
越南人在海上流浪
伊朗人拉住美國人充人質 然後
看美國人拔河比賽

9　烽火在遍處燃燒

小紅鬼到處點火
看石油國家的外長神氣活現
看白宮和克里姆林宮吵吵鬧鬧
鬧個滿山風雨
鬧個天翻地覆
於是便不知晝夜　不知明日
烽火在遍處燃燒

原載六十九年十二月二十八中央副刊

國際之間

風總是那樣吹
話總是那樣說
國際之間
就像浪潮
以魯連舌辯
一波波的說過來
又一波波的說過去
說的總是那些
左右逢源的牛論
多種個性的夢話
就像刀
要出十八般花招

防不勝防

國際之間　總是
布局成笑面市場
讓一群群的政治販子
帶著陰謀陽謀
在面具之後交易
彼此握手之下　便
你笑過來
我笑過去
笑成一響響的喪鐘
將許多
有智慧無智慧的生命
全捲入笑聲旋渦
然後用
一把火　一紙契約
把弱者埋葬

人世錯綜複雜
人際盤根錯節
國際之間的舞臺之上
俳優都是水做的
茫茫人海
芸芸眾生
全在鈎心鬥角之中
浸沉在水的汪洋裡
雖然人說是苦海方舟
航跡總是劃不清界線
洋流中顯不出有人影
言詞似紙
心路如棋
所謂國際親善
不以信義開言路
祇是從
酒壺中溢出的謎語

原載七十一年十二月二十六日中央副刊

俄羅斯

俄羅斯　在一片
冰天雪地的國土上
自列寧樹起第一面紅旗
莫斯科的上空　便
流傳一種氣候
冷冷濕濕的寒流
成爲馬克斯病毒
由列寧媒介　向
四面八方蔓延滋長
列寧傳播下來的
是一種有笑聲的鴉片

15　俄羅斯

驅使俄羅斯的人民　以及
被傳染的民族
成爲落葉秋傷
生命漸自枯萎

在簾刀斧頭旗下
大熊的威武狂放　是用
鮮血灌溉出的蒺花
編成酋長王冠
成爲權威象徵
能使萬民臣伏
森林發抖

在俄羅斯的街頭
人來人往的垂頭喪氣中
寒風凜冽的夜晚　被
福特加麻醉後的獸慾瘋狂

如同配種的野狗 常使
俄羅斯善良的女性
爲她們的民族含羞
俄羅斯的人民 最能
榮宗耀祖得意的 正是
人人都能把
千遍謊言成眞理的教條
讀得爛熟爛熟
由斯謊言萬歲 成爲
消滅敵人的火種
醫治饑餓的靈丹
眞理被扔入溝坑
永遠無人一顧
俄羅斯文化
孕育出的智慧

人人都能熟練運用
胡志明小徑一類的陰謀
挖敵人的心腹
照定律把敵人分化成
內在的對立衝突　然後
驅使作狗咬狗的自相殘殺
自己暗收漁利

俄羅斯的領導
都是從樑上下來的君子
個個都擁有厚甸甸
使人落淚　使
菩薩生氣的功績
習慣用語言之外的冷笑
量人民的心腹

看他們能容納多少

顏色鮮紅的糖衣毒劑
然用饑餓遙控
驅使人民成爲藍色工蟻

俄羅斯在寒風凜冽下
人們的臉 就像
他們的天空
終年看不到陽光的晴朗
連樹亦抖擻著枯禿殘枝
遍處看不到一頁風景
高爾基公園中的銅像
卻堅持著他的主義
在寒流中
面向滿園蕭瑟
振呼高呼
奪權之下

連年風雨
所有的頭頭　爲自身安全
而痛愛人民　於是
在古拉格群島
在高爾基市的冰天雪地中
設下像牛棚一樣的欄柵
讓喜歡吵鬧的人民　成爲
看風景過活的禽獸

俄羅斯的法典
不用奶嘴　祇用繩索子彈
狗守著門
槍守著路
刺刀逼近人的後腦
使百姓都是順民　永遠
聽背後的命令前進
不敢回頭　不敢觀望

就像出獵的犬
追蹤著目標永無休息

由斯　克里姆林宮
一串串的笑聲　驚起
滿天的烏鴉不敢棲息
一群群的小紅鬼　在
高爾基公園的噴泉洗血手
讓天下的人性
同聲爲他們哀傷

七十二年元宵節前夕於高雄

原載七十二年六月十三日中央副刊

・半山半湖半神仙

扶杖出蓬門
繞過南圃小橋
伴千年古松駐腳風前
聽溪水潺潺
流出春和景明
流出鳥語花香
湖　予我神思
山　入我情懷
生命由斯羽羽飛升
摘取幾縷悠然嚮往
不賦歸去來兮
大千本無幾許眷戀

但求
半片山風　半湖水秀
以無量佛乘羽化
揚歌梵音飄處

原載六十九年十二月二十二日大海洋詩刊

散弦十四行

每個迷人的夢　總是
不需要陽光照射
不需要雨露滋潤
便萌牙　抽枝　吐葉
有時亦能開花　但
永遠摘不到果實

將一院梧桐深鎖
不等秋風黃葉飄零
生命之歌　便在
簫瑟神傷下片片墜落

欲飛欲飁的夢
經由陽光普渡
進入心靈深處
然後漸自升起

原載六十九年十二月二十二日大海洋詩刊

烏來觀瀑

在跺響山谷跫音
如潮不絕的遊興中
我是無歌的老人
不在曾長山莊聲色之娛
不爲雲仙樂園勝境之歡
獨自兀立
聽潺潺飛瀑流歌
捕山鳴谷應之激盪
採鐘聲梵唱之飄逸
從懸泉瀑布　活躍成
翅膀振撲的美姿
拾一囊滿滿的詩興歸去

原載秋水四十三期

蟬歌聲外

在連篇
知了知了的蟬歌聲外
翠荷亭亭如蓋
撐起滿池綠蔭
讓夏蛙　咯咯不休
競唱一季風雅

在連篇
知了知了的蟬歌聲外
幾家梧桐庭院
深鎖幾戶閒情
讓眾家祖母　以

蒲扇搖動楚江秋意
閒談昨日今朝

旗

旗　飄揚在藍天下
白日爲懷
光明永昭
姓之以顏色
名之以圖形
爲天下相共識

迎神接駕之陣
旗爲前導　以
鑼鼓喧天威儀
化成風　化作流
流成文化傳統　成爲

29　旗

榮宗耀祖風範
至上榮譽標幟
寫下滿身風采
耀眼金黃
堂號之下
姓氏的滿堂風采
常賴旗光顯揚
或謂金幟世家
或謂龍旗寶號
堂堂之鼓陣中
揚之以正正之旗
顯耀世代威武

招牌之下
無數金色雄豪
揚旗迎風招展
人世間　能守住

大纛威儀
傳之久遠
便是傳人聖雄

原載七十二年三月九日新聞西副

板門店

板門店　在
漢城與平壤之間　是
韓戰砲口停止爭吵
風雲際會的暴發戶
在這裡　許多的
陰謀陽謀之中
反映著
民主與集權之間
相爭相鬥的因果牽連
南北韓兵連禍結的
風雨歲月
三十年春去冬來

寫下和談疲憊
面對的舞步滄桑
爲世人所關切

在這裡　一年四季
人臉與天空
都是灰暗的色澤
烏雲欲雨的天氣
籠罩人心　在
陰霾層層的暗淡中
滿懷焦慮與慌恐

四野之外
花非花　樹非樹
滿眼是刺刀滴血的玫瑰
砲彈劈傷的枯枝
天幕下

滿空飛舞
除了烏鴉　找不到
一隻鴿類的蹤影

圓桌上的形象
是面具世界的縮影
個個各懷鬼胎
沒有道德良心的表白
沒有慈祥善良的嘴臉
舌劍唇槍之爭
盡是你死我活之詞
天理　人生　民願
全被埋葬在
你來我往的唇舌之中

這裡的風
都不長耳朵　許多

舌上蓮花的曲調
永遠聽不到眞實的傳播
鐵絲網之外
妙筆生花的新聞　全是
千篇一律的謊言
捕風捉影的迷語

在這裡狗的識別最眞　除了
主人與樹
見人就吠　因爲
來這裡的
全是懷著鬼胎
催生災難的凶手
以舌劍
掠奪生命財產的國賊

板門店

歷三十多年
榮華富貴的聲望
成就的　祇是
國際會場的喧囂
政治球場的爭奪
黑市商場的爭吵
心理戰場的騙局
積年累月會談
車載丈量的紀綠之中
有誰能指出　那一頁
對自由心願　公理正義
作過公平公正的決議

原載七十二年十月十一日中央副刊

天涼好箇秋

走過一季榴火殷紅
蟬歌唱熟的盛夏
汗流與蒲扇對壘
揮舞出楚江秋意

桂香撲鼻
蟬歌入夢 迎來
黃葉秋風 隨
謝尚竹笛起舞 剎時
陽光晒一地耀眼楓紅
梧桐撐滿身健美枝椏
聽金風颯颯

飄來滿耳詩聲
絕無歐子淒情

秋臨無傷
陽光和煦
耳接周遭　豐歌四起
目遇大千　稻熟金黃
春祈秋報的社鼓鼕鼕
朝山覽勝的跫音不絕
牧童的短笛　吹唱著
紙鳶臨空漫步的逍遙
譜成一季秋涼場景
在天高氣爽之中成爲美景良辰

原載七十二年十月三十一日秋水四十期

緣

一、

紅塵 雲煙籠罩
人生過客途程
有人用香火燙貼心靈
有人用合十醫治創傷
有人用金色鍍染名字
心緒萬千 歸根
卻同在佛說之上

眾神之路
慈航萬方
由古老直至今天
眾生景仰

當時空交錯在一個定點
是相會以情
是相背以淚
全在一個緣字

二、

緣　總是千奇百怪
在意識中　相牽相斥
相投　立即成環
相背　便成泡影
就像變化球的觸擊
有時滾地踉蹌
有時出界飄逸
有時亦會安打上壘

有所謂　緣由分定
將旅途上的邂逅

以時空交錯作定點
許多盤根錯節的愛
由斯滋生　但未卜能否
抽技吐葉　開花結果

或曰　良緣天賜
有緣千里終將會
無緣對面不成情
一派機會主義遁辭
將人生付之天意際遇
事實所謂知己莫逆之緣
莫不出自彼此眞誠灌溉
從你來我往中　以善以愛
將心路緊密相連　如斯
乃佛說正果

原載七十九年六月一日妙林十八期

我從山中來

一朵雲從我腳下飄過
山風迅速告訴我
這時代　松濤彈唱之中
梅妻鶴子的故事
早已在此失傳

松林間　修竹亭亭
山風漱耳　迎面是
絕巘瀑布　唱著
龍吟虎嘯的大野奇章
活躍成翅膀振撲的美姿
一瀉而成盆谷水庫

成爲綠色大地中
歲歲年年的銀色風景

於是　放眼四顧
群山盡成碧綠田園
山林間　一群群
隨陶潛歸隱的林叟
積年累月　在此讀
山鳴谷應的鳥音而醉

我眞期盼
澗水能流成石枕
予我一朝山中午寐
從大野芳菲中　尋享
五柳先生的淡逸
春夜桃李園的詩興
以及伯牙的琴音

羽化而翱遊天地

原載七十三年八月十二日新聞西副

澗水流歌

從峰巒迤邐而來
群山騰霧
百花飄香
森林以威武雄姿
迎詠那曲
割不斷的原始古調
淙淙　潺潺
不捨晝夜　流成
滿山天籟
疊疊仙音
澗譜從無休止音符

45 澗水流歌

面山駐腳風前
借澗流音律
謳歌自己
羽化成仙

刀活

削鐵如泥的聲望
並非起自長板坡前
青龍偃月之上　在長串
護國衛朝的歲月中
多少虎虎生風的威武
寫出王朝將相的身世
寫出武林高手的忠義
成爲耀眼金黃的風采

刀法九九八十一招
招招各具文武　像
龍淵國寶　曾經

斬過多少
邪魔梟雄的頭
奪權反叛的動亂
外族覬覦的貪婪　以及
安祿山之流的狂想
直到八年抗日大戰
大刀向鬼子們的頭上砍去
遂使辛丑的　庚子的
甲午的………………
許多滿臉黑墨的賣身契約
次殖民地的國恥羞辱
在單刀赴會的勇武下
血槽中流出青年沸騰的熱血
始把歷史的環節擦亮　而
剃刀邊緣，則令人
容光煥發
滿臉風光

無數刀活的景觀
寫在中華文化史上
成爲國之瑰寶 從
雲岡石窟 敦煌千佛
刻石的藝術浮雕 到
金鑾殿 阿房宮 文淵閣
以及各宗祠廟宇
山楶藻梲 龍翔鳳舞
刻木雕花的金壁輝煌
百般刀活匠心 成爲
文化大邦的一枝獨秀

自古權勢刑人
斷頭台的斬殺鍘
刀鋒似虎 而
刀下留人的情景
總是寫在

官僚政客的官官相護之中
像菜刀斬雞頭的愚昧
讓王朝聲威進入黑暗長廊
暗然無光

從鋼刀解牛
到鋼刀截鐵
身世歷經百般滄桑　如今
雖然原子核子咆哮不止
大刀在戰場已無用武之地
然而在科學文明之中　要斬割
一段牽連　一串枷鎖
一團人慾貪婪的亂麻
一般傳染危害的病毒
分割一雙連體
移植人類器官　還要看
許多刀子刀孫　以及無數

無名小刀的絕招妙活

原載七十三年九月二十八日忠義副刊

小市民的狂想

如果　地球上的能源
全部枯竭　祇剩下
我家那口井　油源泉湧
我將把西半球全部買下
分贈給　每個
尊敬青天白日旗的人
十畝耕地　一座高樓
將軍隊改名啦啦隊　把全部
刀槍劍戟　地雷飛彈
換成古今樂器　爲世人
吹奏鼓舞歡欣樂曲
爲入線大陣加油打氣

如果　公僕都穿夾克
同小市民一起
在路邊攤吃擔擔麵
談今天的時政與天氣
議會改名明德堂
滿堂和氣　沒有人唱狂調
政府規定僚屬日行一善
按事功考發金善獎
市長的辦公室改名聽事
設在市政府的大門口
青年憑志願入學
市民憑身分證出入境
世間將永絕浮雲蔽日的冤屈

如果　各公司廠所
停止使用打卡機
各行業的工作周時

改爲四十小時
三軍統一規定
將狗吏及衛兵取銷
警察改名醫生
用貼紙處理違規
用可樂治理糾紛
將所有醫院改名善堂
用合十燙貼病患心靈
用金門高粱消除病毒
法院改名俱樂部　任各方
好勇鬥恨的太保狂徒
好吃懶做的地痞訟棍
咸集部內
用香煙燒天
作雀戰消遣
家戶的圍牆鐵窗
將不復存在

如果　所有的車輛
不准在大街小巷行駛
所有煙囪煙管
不准再冒黑煙
所有的搖滾樂曲時代歪歌
不准在市面上流行
所有汽笛喇叭
不准在市內吼叫
將在我家門口的街上
設下雅座　免費招待
南來北往的行人
觀賞中華小將
玩威廉波特的遊戲
任觀眾自由評選
搖來擺去的青年女子
低胸熱褲與迷你裙的時髦

如果　我行有餘力
將把時光牽在手上
令秒針不能走動　留住
星星月亮和那樹桂花
永不凋謝　年年月月
人人都能在海霸王的燈下
喝白葡萄　吃活跳蝦
談瑪麗蓮夢露的胸圍
論伊麗莎白泰勒的丈夫
以及　賈桂林的富貴命
將沒有誰會耽心自己
再有一個失眠的的夜

原載七十三年十一月二十二日忠義副刊

飛瀑流歌

飛瀑疾飛而下
總是這樣唱著
唱著萬馬奔騰的雄姿
由翠嶺懸崖
一瀉而成
萬里滾滾的巨流
成爲綠色大地
歲歲年年的銀色風景
不獨阿拉斯加
不獨香爐峰下
在千山萬壑之中

總是如斯活躍
活躍成翅膀振撲的美姿
成爲蒼碧空中
日夜垂掛的白練
予墨客匠心　描成
潑墨錦軸的大章

飛瀑疾飛而下
總是歌不完
虎嘯龍吟　激昂慷慨
滿谷雄風震盪
使美髯如仙的山翁
年年月月　扶杖臨風
守著山　守著飛瀑
在此化身菩提
享滿耳山鳴谷應而醉

原載七十三年十二月二日忠義副刊

我歌我唱樂陶然

三保宮前的老榕樹
是德福村的守護神
守住全村的風水
一年四季 風調雨順
長佑村中的安樂和祥

老榕樹下的長板凳
是村中老者的俱樂部
年年月月 茶餘飯後
長者化身菩提 以香煙燒天的閒情
蒲扇搖秋的自得
在這裏 說古論今

對口演唱
他們半生的滄桑故事　以及
小康社會的龍鳳呈祥

眞的　時代維新
所有的風景樹都開花了
還會有甚憂愁撩人
從此　老榕樹下
人來人往
弦歌不輟　在彈唱
許多塵封多時的鄉音古調
樂而無憂　譜成一幅
我歌我唱樂陶然的情景
成爲桃源洞外
新世紀的香格里拉

原載七十三年十一月二十一日忠義副刊

山中一片情

入山 不爲
採靈芝仙藥延年益壽
期以 重回山水之間
讀山明如畫
享滿耳鳥音
從山環水繞的坦蕩
重歸自然

來此 不求
學禪問道羽化登仙
祇想在山中
採幾朵山徑小花

然後攀登到山頂
拾幾朵浮雲
摘幾朵星輝　一併
託付澗泉
捎送給北地的你

原載七十三年九月三日新聞西副

背十字架的信徒

儘管忍耐已達沸點
還是要繼續忍耐

力量由儲蓄而豐實
信心由忍耐而堅强
是强者都能克制衝動
爲憤怒而渲洩
就是以長板坡前的怒吼
把全身的鮮血噴出
亦溺不死你心中的敵人
救不了遍體鱗傷的中國

我們要求的是千秋事業
不是一時雄武
要爭的是光天化日的歲月
不是一瞬的亮麗
要救的是十億炎黃世胄
並非一家骨肉

沸點的熱能需長期蓄保
不能任衝動而渲洩
爲了寫一部天長地久的歷史
別忘了　我們都是
背十字架的信徒

毒蜘蛛

愛情的網
張掛在青春的天堂路上
令天下情癡
自投羅網　然後
以玫瑰釀密炫耀酒香
讓所有情迷　在
高歌我愛我的情曲中
奮勇醉入陷阱
纏一身情絲
吻滿嘴毒液
在投懷送抱之中
使風流人生　在

情網中成爲花下孤魂

原載七十四年九月十四日台灣時報

寶島秋歌

秋臨無傷
楓紅荻白 飄舞出
滿眼圓月詩意 配桂香
沏出一壺世紀芬芳

眞的 在這裏
歐子秋聲 早已
被風吹去 一陣陣
鑼鼓喧天的歡欣
眾口同歌的 酒是
歡樂年年
梅花大調

站立在玉山顛　歡欣
萬山松濤　擺舞出
千古柔情的美姿
令十月的滿城旗海
顯影七十年代的華夏風采
絢燦亮麗

寶島十月的陽光下
西風習習傳來
金黃新熟的喜訊
社鼓鼕鼕的秋報梵音
一句句　是
國恩家慶
人壽年豐

原載七十四年十一月四日忠義副刊

星期天

到了息肩落腳的時刻
就放下擔子息息吧

在這個無雲無雨的日子
讓鞋子在門口風涼
讓帽子守著衣架
把耳朵留在電話機旁
然後　你就用
一杯濃茶
一枝香煙
將六天的塵埃洗滌
讓心空有晴朗的亮麗

耳邊有友情的歌聲
滿室有沸騰的歡笑

七十四年三月二十四日於桃園居

海水正藍

海水正藍　因爲
麗日當空
海風揚歌
群鷗競舞

騎波飲浪的漢子
離了岸　便
佛心浩蕩
慈航普渡　今天是
無風無雲的日子
海水正藍　因爲

颱風遠颺
烏雲四散
飛魚歡躍

乘風破浪的漢子
出了港　便
頭頂著天　勇往直前
開懷喜笑　這裡是
無塵的仙境

革命者的告白

朋友　不要等待我
臨席桃李園的春宴
我還要跟著隊伍走
因爲歷史的傷痕太深
因爲國家的苦難未癒
海棠地廓分裂的傷口
需要我們去縫

媽媽　不必爲天寒操心
我是不會冷的
國家給我的已足夠溫暖
而且自己　亦學會了

縫織那件大限耀世的睡袍

雖然北國冰天雪地
我有滿腔沸騰的熱血
醞釀出擊的戰歌
從號角聲中
走向持戈前進的沙場
用自己的腳　走出一條
通往聖城的大道

同胞們
不必為我們編紮
光華燦爛的凱旋門
我不會從那裡回來
因為祖國苦難後的大地
還在乾旱的季節
為了一葉海棠新綠

就是勝利的鐘聲響了
我們在另一個戰場的鼓聲
依然不息

七十四年四月九日於桃園居

三月

三月 以
歌聲驚蟄大地
花香榮耀國魂
春風習習地呼喚著
每個英雄的名字
在花季中飄香成圖騰

是劉梅卿的螺角 喚起
風起雲湧的革命怒潮
無數英雄立姿
在三二九的火光中鑄成
永生形像 在

中華民國的殿堂
成聖　成神　成佛
令萬世嗣孫膜拜
從此碧血黃花
將歷史的環節擦亮
以不朽的生命之光
譜成三月雷動的大調
唱出民族昂揚的新聲
如梵音響徹九霄

原載七十四年三月二十一日新聞報副刊

慈湖春暉

四月的花季　點燃
慈湖滿眼的春光
聖火源自這裏
榮耀中華
照澈寰宇

且以風木哀思
沿著路　順著山
往皇皇歷史大道追尋
千萬跫音
千萬腳印
留在參聖的路上

讓慈湖四季長春
與清明昂然昇起
成爲東方傳統雅俗
九洲共聞

十年了
聖哲安息於斯
精神與國人長相左右
如今 長春島上
一世祥和
滿眼錦繡
到處有您
霜露滋潤的青蔥
化雨哺育的花果
聖火薪傳
慈光普照
案上的那雙白燭啊

十年來晨昏伴侍
能否告訴我
參聖的人潮
寸草春暉的思慕　在院中
灑落過多少感恩的淚水
帶走了多少虔誠的崇敬

原載七十四年四月五日新聞報副刊

療傷的日子

停止點滴注射之後
面天　面壁
都是一片純白
白得連心上亦沒有血色
祇緣血跡已經乾枯
傷口已漸復合
痛苦從天山下墜
生望正朝著陽光爬行
鐘擺雖然在響
日影慢慢的移

從死亡線上回頭的歸人
還有什麼比幸生的祈求更高

原載七十五年三月二十五日新聞報副刊

行經高速公路

寶島　縱貫線上
由一條康莊的延伸
描繪出時代嶄新的面貌　在
速度超越時空
智慧旋轉乾坤
小螞蟻亦不敢偷懶的時刻
鐘擺不再唱讚
三寸金蓮淑女的溫文

昨天和今日　有著
許多劃時代的轉變
從北方下來的　是時代經典

從南方上去的　是推陳新品
由斯　享譽爲飛躍奇蹟

寶島四季如春
高速線上的行人
窗外滿眼碧綠金黃的美景
如今還會有誰
再想念晉太原中
那條漁人的溪路

原載七十五年八月六日新聞晚報

晨課

暖風煮沸的夜雨
淨洗大地塵衫
滿眼新綠如畫
當晨曦 再度從
東方昇起
晨雞喔喔聲中，披晨霧
仗鳩漫步
飽享樸鼻花香
晨課 總是由
凝神靜氣做起 然後
托天抱月 飛雁回首

續以吐吶黽息　疊指爲拳
完成健壯步履　仙鶴神功
朝夕頁頁勤讀
歷三春不息
終於讀至
安神定力　月下行雲

原載七十五年三月七日忠義副刊

無夢之夜

夜寂無嘩　時光
被失落的更聲溺斃
死成無聲靜止
黯然消逝　祇剩下
暮靄深沉的夜空
籠罩無邊落木的蕭瑟

思緒　由此便失去翅膀
讓時光獨自飛逝
世事滄桑
人生際遇
全不復記憶　一切

屬於詩的歌的空靈
亦皆歸於沉寂

原載七十五年二月二十五日台灣時報

向至聖先師膜拜

半屏山昇起的朝陽
以萬縷和曦
寫出蓮池搖曳的柳影 在
春秋閣 龍虎塔的雄峙下
以發思古幽情的美姿
炫耀古舊城
三百年文明古蹟
泱泱文采

蓮池浩蕩的潭水 哺育出
遠近一季碧綠金黃
從華實豐盈中 化

匠心爲　朱門華拱
翠瓦紅牆的聖殿
在時代長流中
樹起我們民族
道貌岸然的立姿　成爲
中華歷史的圖騰
民族輝煌的光譜

且從
千百孔聖殿牆檽
溯源向上觀照
我們遂見炎黃世胄
從聖聖相傳的書香社會
祖母慈懷的庭訓涵泳
到有教無類的儒風化育
隆昇中華精神文明的標高
成爲東方耀眼的長虹

詩禮傳家的薪火　從
堯舜而達於我們佇立的時代
點燃民德歸厚的道範
以慎終追遠的教孝
激勵兒孫的奮發
我們熟認至聖先師的和祥
每當三秋風爽之辰
林立於廟堂之上　以
三嚴陣鼓　鼓動豪情
享鐘聲　燙貼心靈
奏寧和之音　歌咸和之章
迎神而進饌　八佾舞庭
循禮唱合十　向
至聖先師膜拜

原載七十五年于月四日台灣時報及大港都組曲

除夕

管他甚麼
天增歲月人增壽
大家都坐下來吧
團團圓圓吃年夜飯
總是爽心樂事

且把守歲的夜燈點燃
將隕落的昨天收拾
裝滿滿的一大紅包
留充壓祥符

不要問今夕是何夕

不要想今歲是何年
牛去虎便出山　管它
鬍鬚幾尺　白髮幾丈
人總是這樣　由
紅顏到鶴髮
哭了又笑　笑了又哭
茫然歸隱虛空

春歸何處
何必掛懷　且問
百代過客途程
踏花馬蹄　是否
留有馥郁
尋梅踏雪　跫音
有否詩香

原載七十五年二月八日新聞報副刊

陽光哺育出一季盛夏

有陽光的地方
大地才會青蔥翠綠
流水才會奔騰歌唱
有陽光的地方
鳥兒才會刷羽吟哦
錦鱗才會浮游歡躍
陽光似乳如蜜
哺育生源
照徹大地
煥發出綿綿花季

華夏歷五千年長河

不捨晝夜滾滾東流
流出文明秀毓
流出仁政芬芳
樹起古風文采
常昭國風泱泱

照耀過洪荒漠野
照耀過堯天舜日
煦煦和和的陽光
照射在海棠地廊
中華兒女的心上
祖國沐浴在陽光下
墾荒播種
戴月耕耘
歷三十年風雨
育樹成森
開花結果　如今

陽光哺育出一季歷史盛夏
樹起文明社會的清新秀麗
聚成一世風采
耀眼金黃

原載七十五年二月二日忠義副刊

子午線上的迷惘

進入城中
萬眼的風景都綠了
大街上　高樓擎著藍天
櫥窗裡　展示明日新潮
千萬朵霓虹閃爍　以
五顏六色的笑容
向滿街匆匆的行人呼喚
這裡是享受文明的天堂

男人以牛仔　裝扮成英雄
以飛揚神采爭逐時速
將人生驅向無邊華夢

要挾飛仙以遨遊
能抱明月而長終
卻不願將今天的自我
搬上槓桿平量

女人用大張封面
包裝自己　以
黑色人種的口號炫耀
以成套的新奇妖艷
迎送南來北往的眼睛
卻無人願在子午線上
認識自己的座標

海霸王的黃燈日夜亮著
麥當奴的門庭車水馬龍
各式各樣的宴席
以海棉的容量

飲盡天下豪情
酒性軒昂之中　還有誰
憶起天老地荒

大街小巷
不停的馬達聲嘶
高樓廣廈
不絕的迪斯可吶喊
新時代的盛世豪情
展示都市的
污煙濁氣　噪音喧囂
在眾花含淚的迷惘時刻
人生已落入一種
花花世界的亂流

明日時代該走向何方
不周山上的佛祖仙翁

也卜不出正確的定向
今朝月暗
且把心燈徹照
明天的宴席是否依然
明日的時風如何轉變　就是
以貓王自居的時代歌手
也不知明日台前的聽眾
喜歡聽他唱那一首歌

原載七十五年五月二十三日民眾日報副刊

何方經咒

踏入大千
滿城的風景都花了

大街上　樓高千級
窗櫥衣　堆滿稻草
女人用荷葉
包裝成迷人的笑容
迎送南來北往的眼睛
男人　穿燈草絨的丐裝
滿臉風采非凡得意
飛車狂叫

高樓上　傳出
怪聲怪調的嘶喚
連穿芒鞋的高僧
亦讀不出是何方經咒

原載七十五年五月十一日台灣新聞報

詩人

睜眼閉眼
面天面地沉思　只爲
如何剖削
瞬間覺觸的
一朵雲　一片景
以匠心織成
一首歌　一軸畫
一種醒世生命的圖騰
當千江龍舟的鼓聲
播響中國的詩魂
長安的酒香　哺育出

梅妻鶴子的坦蕩
龍巾擦吐的豪情
從此　世世代代
無數的遷客騷人　景從
賈島在月下敲門

雖然
人世的冷暖
令人咀咒　而詩人
卻永遠屬於
穿燈草絨的貧民
在風雨晦冥的冰雪大地
依舊耿耿忠懷
將滿腹深情　踐履
李義山無題詩句的豪語

原載七十五年九月九日台時副刊

急診室

在這裡　許多人
爲一張床焦急
情緒像螞蟻般
向不同的方向亂轉
轉成無頭無緒
一重一疊的困擾

白色的人群　像
救火般在竄動　從
身高　體重　溫度　血壓
用針針線線
在病人身上尋找

尋找那害人的傷口
堵塞

在這裡
時間就像血　像淚
悄悄地淌
悄悄地流
悄悄地乾涸

原載七十五年七月一日台時副刊

病中雜記

進入病房　便感
寒氣逼人
迷濛中從病床躺下
許多　線的糾纏
管的抽注　人生
由此便跌入苦海
從針頭流出的
雖是　霜露甘泉
皮肉所遭受的
卻又是另一種滋味
要想再度站起
必須歷盡辛酸

二、

任何一位　在病床上
看天花板過活的病人
不會沒有感觸
生平所積
善因獨享
惡果自嚐
心弦的律動
全從此因果間
作不同層次的化出

三、

人生的歲月苦短
病中的日子苦長
要想脫離病的苦海　端賴
佛心普渡
妙手回春　以及

逆來順受
茹苦除頑的忍耐

四、

每張病床
都有一株枯柳　讓
春風在此吹拂
甘泉在此流露
當瓶中點滴
注入人體
是否能化出春訊
祇有萬事隨緣轉的禪思
方能悟出衆妙

原載七十五年四月廿七日忠義副刊

藍善七十二（注）

生平個性喜動　總是
前腳沒有踩穩
後腳立即出發
將人生走成步履蹣跚
自己卻欣然若得

一生喜歡留駐
將每個十年
交給一個單位
用生命去換取　一些完成
一串掌鼓　一紙虛榮

從如斯累積中
任歲月漸自蒼老

性喜風雨洗滌後的清淡
更愛歲月漂白過的單純
以及一些　沒有被人接納
沒有被新潮染污的曲調
心弦有感　便
沾濡清淡　調配單純
描繪時代　吟詠新聲

注：藍善七十二乃作者筆名，似感誇大，多年未用。

雪　浪花與歡情

且把錨旗升起
讓湛藍的海暫時寧靜
讓天空的雲獨自去流浪
我們都重歸尋夢的鄉土
用可口可樂　將
滿身的浪跡洗滌成雪　然後
踏著輕步　吹著口哨
各自追尋蝴蝶的夢谷

將帽子貼在後腦杓的哥兒們
請勿訴說　昨日暈船的辛酸

西班牙的舞曲　正在
迎接巴黎香吻的黃昏
你就在此息腳吧
訴一段飄泊天涯的離衷
歌一調月圓花好的情曲
讓昨日都振撲翅膀
隨雲煙飄去

不必以鬍子標示風采
你我都是從大海歸來的英雄
帶一把浪花
摘幾朵浮雲
將自己編織成人生的過客
讓街頭千百雙女人的眼睛
都貼在你身上　然後
以後甲板敘說過的
每一本闡述女人的哲學

尋找你屬於今宵的錨位
夜　總是這樣恬靜
酒　依舊那般濃郁
能唱的就放聲高歌
能舞的就盡情飛躍
將昨日的風塵
全抖落在霓虹燈下
留一身燕子的輕盈
隨著笑聲歸去
度過今宵　明日又將
騎波逐浪　海角天涯

原載七十六年十一月十二日台時副刊

燈火

夜未盡
天未明
燈火便成爲
黑夜的守護神

在浩瀚宇宙中
銀河星輝
裝飾成太虛璇宮
在大千世界裡
文明燈火
照亮不夜之城

一根燈草
點亮一支光柱
一盞明燈
照亮一處繁華

漁火　聚集成
魚族的首層銀河
窗燈　哺育出
傳世的百代書香
陣線上挑燈追趕
霓虹下紙醉金迷
燈火點燃時代繁華
指引人生去向

時代維新
夜遊無需秉燭
光明日夜無分

誰能摘星攬月
必須讀透焚膏大義
從窗燈下級級攀升

七十六年二月八日於桃園居

仲夏有夢

進入
滿眼金黃的夏
將心中的綠思
舖成詩茵　讓
牛群在此盛宴
眾鳥在此和鳴
心湖中　留下
一泓平靜無波的春水
讓滿腦遐思在此蕩漾

不管溪水

是否帶著歌唱走了
溪流夾岸
綠蔭掩蓋的幾方滑石
願充作我午寐的石枕
從清流中　枕出
一季秋收豐盈的美夢

無論枕中的蛙鼓
是否會驚破南柯　願
天爲羅帳
地爲褥氈
舉輕羅小扇
搖動楚江秋意
與牽牛織女　共享
長空蔚藍

原載七十六年十月三日忠義副刊

登樓賦

人往高處走　彷彿是
一曲褪色的古調
早已唱不悅人們的耳朵

平步青雲
高登居安九霄　從此
日日攀登　扶搖直上
由一級又一級的高梯
通過一座又一座的鐵門
進入層層隔隔的天地　從此
高朋爲牛喘而卻步
少友爲功利而疏離

讀處士之章
學洋老鼠過活　由而失去
野人的獻喧
百花的香享
巴山是否夜雨
音訊久久疏聞
高樓　雖非僻野
事實卻屬窮鄉
鞋守著門
帽子佔住衣架
落腳於斯　舉步爲艱
永遠亦走不出一季春天
試問　今日大千
有誰在層樓能極目千里
有幾曲闌干能供人倚望
且由此失去日照花香

始知山外青山樓外有樓
有誰還能獨享超越

推窗　亮出一角視界
俯察縱橫康莊
川流不息　儘是
功利狂徒　晝衣飛馳
仰望萬里藍天
雲煙拂面　無羽不仙
似覺落入沙漠大野
看不到季節綠紅的變換
聽不到時令中蟲鳴鳥吟
日日月月　年年歲歲
白間呑雲　望天無問
雖然　我生有幸
平步登樓　級級高陞
卻永遠盼不到出人榮耀

月圓好個秋

走過一季
蟬歌唱熟的夏天
大地一片青蔥
綠的　變成了
哺育人生的密汁
黃的　結出了
田園豐熟的金穗
聽　西風颯颯
捎來桂香撲鼻的秋訊
今夜　蓮池月滿　靜影沉璧

滿場風騷　臨風唱詠
絕無歐子淒情

月光和煦　秋臨無傷
目接大千　萬紫千紅
春祈秋報的社鼓鼕鼕
擊缽聯吟的詩聲不絕
千百雙歡欣掌鼓
喚起絲竹管弦之盛
借謝尙竹笛　吹奏出
起舞弄影的譜曲
譜出今夜　蓮池
吟月大章　以
陳風月出東山的詩篇
同聲謳歌
月圓人壽　美景良辰

原載七十六年十月六日新聞報西副

無詩的日子

蟬歌不息
水聲依稀
花笑不開緊閉芳心
鳥歌不出悅耳柔揚

一種
被夏火壓縮的心情
帶著無病的呻吟
讓蛙鼓在枕中紛擾
思緒由斯進入迷津
經朝夕衝刺 留下的

祗是千篇殘稿
在電扇旋迴不止的天地中
拂不去的愁雲
擦不乾的汗珠
以千杯長安佳釀
亦撲不滅
薰風吹起的閒倦

劍　書牆　嘉禾帽

——賀海軍官校建校四十週年——

在浪花與雪的天地中
昨日與今天　總是以
劍　書牆　嘉禾帽
表徵傳統　標示
新一代的面貌與榮耀

自上海　青島　廈門
來到半屏山下
四十年雨雨風風
一列列的革命隊伍

一代代的青年俊秀
在號角聲中
隨朝陽醒起
讀傳統與現代
測天體與運行
從潮來汐往之中
畫出皇皇歷史航程
隨舵令導航前進
雖然　負笈四載
沒有寒窗
早課與夜讀　卻能
勵志　奮發　精練
將佩劍練成揮戈權威
隨從戎樂　一番番
吹奏出征海風儀
滿園桃李　在
春風和煦中　化育出

萬紫千紅的綠夏
歷經一程又一程的航跡
從時代浪潮上 升揚起
迎風招展的艦旗

請勿再對我高歌
那曲迎新小調
掌鼓歡情 容易觸動
滂沱淚水 將
曾經跋涉的腳印淹沒
使昨日化成雲煙

大海汪洋
後浪逐前浪的情景
總是那樣分明 曾經
教唱戰隊長歌的英雄們
在日日天涯的航程中

讀浪花水調
數星位變異
一段航程　一分功業
從雨露風霜的變異中
已完成新世紀的歷史新頁

且將龍章佩上　那是
翔龍耀武的傳世圖騰　從
劍　書牆　嘉禾帽
相繼不絕的傳統上
由六分儀的廣角
測量出宇宙浩瀚　讓隊伍
站立在時代層面上　成爲
海上長城　中流砥柱

奮起吧　群英
以鄭太保的征海雄風

以哥倫布的冒險精神
導航新世紀的中國方舟
乘長風　破萬里浪
巡航三洋四海
敦睦百國千城
護衛青天白日的大纛
揮影清流

原載七十六年十月十六日忠義副刊

泰國掠影

——七十七年二月港泰遊記——

暹羅灣
一片廣土平原
海風吹拂椰林
搖曳迎人美姿
湄南河　流奶與密
哺育佛國大地
一角風景　一片綠茵

紅白藍三色旗下
香火道場　玉佛鎮國

人來人往　佛面迎人
圖騰表徵富國
大象用示吉祥
太陽三季在天空微笑（注）
曼谷　東方的威尼斯
河渠縱橫　川流無波
濁水之上　輕舟如鯽
夾岸荒古綠泱
水上人家　傳統
熱帶風情　怡然奪目
玉佛　金佛寺中
王族骨塔　插天而升
神宮佛殿　金壁輝煌
三季御手浴佛
寫就傳世佛國之章
耀世風采

王宮　春深似海
御前　百子爭寵
後宮　眉波激蕩
編織王族繁華歲月
錄影成國王與我
落幕詒笑萬邦

巴達雅　東方的夏威夷
椰樹迎風　海水天長
接連東芭樂園　一園新盛
格蘭島弄潮歡舞
蒂芬妮舞榭風情
導引四方遊跡
跫音朝朝不絕

泰國　二百年建國史乘
香煙裊裊　梵音不絕

藉佛法慈航普度
國土安和
幸無烽火疤痕
七十七年二月四日于曼谷皇宮酒店

注：泰國玉佛，一年由國王親自三次浴佛，玉佛所穿金縷衣，區分春、秋、冬三式，沒有夏服，故泰人稱一年爲三季。

135 泰國　泰國

泰國　泰國

暹羅灣
一片平原大地
滿眼綠泱
椰林搖曳美姿迎人
太陽三季在天空微笑（注）

湄南河
浩浩江水　流奶與密
哺育世代泰民
安貧知足　代代和祥

鎭國玉佛
寺宇軒昂
迴廊接連院落
佛園滿眼金壁
梵音化育國民
心胸坦蕩　人面如佛
受譽佛國之尊

九重王朝靈塔
插天而升　迎接
四方遊目　巍巍堂堂
頻添思古幽情

儘管　藝筆彫花
寫就國王與我
嘲諷王族沉迷
建國二百年史乘

137　泰國　泰國

享佛緣化度
無風無雨
泰國　果眞泰國
幸無烽火憂傷

注：泰國以玉佛鎭國，每年三、六、十一月由國王三次浴佛，金縷佛衣，年分三式，沒有夏服，故泰民稱一年三季

原載七十七年六月十一日新聞晚報

作家

天花亂墜 不過是
堆砌文字的工匠 將
陽春煙景 大塊人生
精選摺疊 以靈思
串成念珠
讓天下不是文盲
品數句豆 將滿紙符號
數成珠璣
無論荒古與現在
無論莽原與沃野
今天必然由昨天而來

前人總會留下痕跡
就像那些繩結甲骨
把昨日傳送給今日
讓後人接踵前賢
循腳印　量出世道人心
然後　以匠心文采
營造野史丹青

數天下聖哲
懸樑刺股　日就月將
讀遍萬卷前人智慧
親歷萬里人生經驗
以春蠶老死情懷
吐盡滿胸厚積正言
成就作家雅望

原載七十七年十二月廿四日新聞晚報

秋訊

西風　捎來桂香秋訊
獨步楓林岡前
觀大野變色芳菲
勾起疊疊回憶
數朦朧昨日　寵辱
儘成過眼煙雲

拾級而升　步入
蘆花搖曳山蹊
望枯梧落盡
觀松濤擺舞

秋邊孤雁聲聲
山岩　飛泉已枯
澗水寂然無音
聽西風颯颯　迎面
西山日薄
留下的　祇是
遍野殘紅
滿頭秋白

原載七十七年十一月十五日台灣時報

秋詩

蒲扇方收
楚江風爽 正
歐子行吟時節
黃葉弄舞秋風
桂子撲鼻香送
秋水月光 閃爍
滿空詩意
借李賀弱馬
肩囊乘風
效行雲野鶴

讀秋水長空
將萬物怡然情景
盡納囊中

且把
紅楓　白菊
落梧　荻飛
調出梅鶴情懷
邀同騷人詩女
煮酒月下
共詠無傷秋詩

原載七十七年十月廿日新聞晚報

白髮吟

——六十五支燭光下的獨白——

並非附和風雅
亦非借題成名
列祖列宗　自
軒轅黃帝而迄於今
三教九流　詩經
漢賦　唐詩　宋詞　元曲
都如此有板有眼
接口吟詠南山頌句
古今萬般雅言　無非
高山景行大調

樂道安貧恬澹
行雲流水飄逸
月白風清發抒
心胸中　一無我是

不錯　百代過客之中
凡人都會踐越青春
品嚐紫姹嫣紅
髮白心情　郤
並非人皆領略
世路坎坷崎嶇
人生際遇各殊
宮　商　角　徵　羽
五音怎能齊一

迎面　夕陽西沈
西風瘦馬　飄泊行吟

臨風詠髮　今日我獨云
因爲染髮的滋味難受
因爲怕冒「藍台生」醜名
我並非想風騷表態
亦並非圖仙翁美名
祇願自己的形像　能切合
那張免費乘車的證

原載七十七年五月廿五日忠義副刊

走圓一生殘夢

回去吧
不要問　田園是否荒蕪
不要想　少小離家滄海十年
更不要怕近鄉情怯
路是你走過的
水是你喝過的
總該木本水源
作些尋根究底

四十年家國
九萬里山河

滄海桑田　鄉愁陣陣
太陽　還是天天從
矮寨背的馬鞍山升起
瑤上大楓樹後面西沉

春夏秋冬　歲序
依舊不息輪轉
春祈秋報的社鼓雖杳
揚幡薦醮的廟會久荒
張天湖的祖墳　在
荒煙野蔓中倖存
耿耿中　卻
冷落了四十年香火

青山雖禿　黃土猶存
月亮還是童稚時
眼中的那塊大餅

照著破落大地
照著嗚咽流水　在
尙未全聾的耳朵裡
隱隱聞到
龍南黃沙鄉音的呼喚
人總該有一份情　一分性
半肩行囊雖舊
在步入黃土的路上
以闌珊步履　回頭
走圓一生殘夢
誰說不是全歸

原載七十七年七月十七日台時副刊並經新華通訊社編七月三十日第一〇七七三期參考消息轉載發行大陸各省

陀螺

本非陀螺 卻
一生隨歲月旋然
轉成螺絲入孔的無奈

星晨 日月
剛强行健 而能
旋乾轉坤
化衍萬有無限

而我 從無定向
到獲知定向 卻

茫然進入牛推磨的歲月
從蒼茫中　瞬間
轉成白髮繽紛

原載大海洋詩刊三十三期

憩息

世事繁如春夢
人生世路迢迢
百代過客 生命如浮游
任憑日夜兼程 亦
走不盡一條人生小徑
享不盡百錦一香

累了 就該息腳而憩
讓負重致遠的鞋
在門口風涼
讓遮陰避晒的帽

暫守衣架
管它天會不會塌下來
活著總比死亡重要

福音中常有人在吶喚　人
總該留下一些空白
表徵人生　抒展自己
誦自己得意的詩篇
歌生平喜歡的曲調

眞的　如果
地球全歸屬於你
亦該捧起作片刻得意欣賞
否則　一朝馬仰人翻
憑你銀行裏
天文數字的存款
亦贖不回　昨天

典押出去的寶貴生命

原載七十七年十月十一日忠義副刊

陽明山聽泉

晨曦微明
披滿身朝霧　獨步
進入後山公園

鳥歌未醒
林深　冷冷靜靜
但聞澗泉淙淙
流出迎人歡欣
讓山中林木　春和不舞
共享悅耳清音

拾級而升
山徑迴環　澗流曲折
仰望中山大樓
雲煙繚繞　巍然陽明山巔
抱滿懷翠綠
迎紗帽山頂禮膜拜
茂林　密密層層
得意周遭恬淡寧靜
細數匠心藝雕
檢視嶙峋怪石
駐腳溪澗小橋
泉音召我煙景
大塊享我清新
萬籟聲聲入耳
導引滿懷意氣飛升
心心念念似得涅槃佛享
羽化成仙

157 陽明山聽泉

原載秋水五十九期

後記：七十七年教育部，高級中學教學研究會，於四月廿五日廿六日兩天，假陽明山教師研習中心舉行，余奉召出席，晨夕自由活動，趁興進入後山公園早課，園中景物宜人，情景令人入夢，觸及詩弦，乃提筆以記。

這一季夏

走過田間
走過大野
綠的綠成了錦繡
黃的結出了金穗

在這個夏季裡
寶島日麗風清
四野稻香 掀起了
九族豐年大祭
校院鐘聲 喚起了
長亭驪歌風動

讓千樹鳳凰　爲
人生風采展顏歡笑

在夏日的陽光下
椰林總是那樣款擺迎人
遠山總是那樣含情微笑
觀大野樹林亭亭威武
聽溪流日夜奔騰歡笑
寶島天開　時風化景
今日玉山之下
滿眼是錦繡芳菲

走過田間
走過綠野　這季夏
在時代層面上
蓬勃成欣榮綠洲
在世風潮流裡

流出了奶源密汁
是龍族五谷豐登的旺季
是中華歷史文明的盛夏

原載七十七年九月十日新聞晚報

西子灣聽潮

海水日夜歡騰
笑醒了南方的港
在潮來汐往中
萬壽山下　高雄高雄
成就金龍頭角
一顆明珠

昨夜　月白風清
閒踞　西子灣崩雲亂石
披滿身月光
享潮音彈奏　隱聞
馬達隆隆　書聲朗朗

驚蟄的綠爆
金黃的豐訊
譜曲成一串串
時代新聲

我愛海 更愛
西子灣的潮音
大海浩瀚 金波疊疊
前浪後浪 變化萬千
沒有不平的尤怨
沒有失落的憂傷
每一串濤音 演奏一段故事
每一陣浪擊 訴說一分功業
萬頃波浪 配大野天籟
千弦齊發 彈唱出
一季豐美人生大調

原載七十七年十二月十九日新聞西副

從染髮想起

對鏡沉思
髮可以染
年齡當然可以改
姓名不過是一個符號
管他張三李四
商業時代　爲了
推銷自己　在
臉上擦粉有啥稀奇
觀人生舞台
世事玄妙　民主表決
起立是否眞屬遊戲

票選是否眞能表現公道
正如六十分及格標準
沒有那條公式
能確切推演一定公平
更沒有那條定理
可證其爲絕對
自古　史實昭然
公民可以私捐
爵位亦能嗣繼
朝規林林總總
事實代代各殊
名位究應從何處昇起
君子應該從那裡定位
有誰能劃出絕對座標
在蒙太奇的幻象世界
在多媒體的寫實顯影
染髮　是否歸屬藝術

抑或取巧僞裝　對鏡

冷眼尋思

蓋世浮華　祇爲裝飾騙局

讓自己掠奪一時風光

原載七十七年十二月十七日台時副刊

失眠記

入夏雨稀
黃梅早熟
蛙鼓接續蟬唱
鬧起夏火頻升　借
蒲扇搖動萬縷思緒
欲理還亂

白間洞開
晚風不入
汗身醒眼窺天　數
更鼓頻頻　夜漏滴滴
幻影層層飛起　迷朦中

似曾抓起　一把
額非爾士峰　山岩焦土
扔入民大諾東海溝
滄海化出桑田
揮劍躍馬
馳騁新生島上
受萬民歡呼狂笑

一夜狂想
翻騰枕上
思呂翁雲遊邯鄲華夢
想遊俠醉逐槐安南柯
看月升月落
讀明滅星輝　頓覺
浮遊天地　羽化璇宮
不知東方既白

原載七十七年七月十二日忠義報

長城懷古

長城　萬里蜿蜒
分畫文野
身威氣勢　成就
華夏古老金龍
耀世風采

秦滅六國而統天下
一世之雄
入寇胡騎何堪一擊
嬴政不畏艱鉅
踵事前朝　築城堅防

169　長城懷古

暴秦雖不察傳國仁風
尙知午昧安靜事重

數華夏五千載國防
烽火狼煙　實邊守土
要塞軍略　從無
耀武犯人史實　成就
泱泱大風

千百年長城之名
貼在世人心上
萬方風雅　不避風沙
遊踪接踵　一覽
崩殘台閣　烽火台前
望不到南下胡騎
讀不懂長城信誓
徒浩嘆一磚一石之雄

雖寒風呼呼 傳來
孟姜女泣血哀嚎
亦喚不醒
世間軍國迷夢

原載七十七年七月九日新聞晚報

在國光號上

睜眼　迎面是
一框框的奔馳風景　並非
陶潛筆築的世外桃源
阿丹士描繪的體態庸俗　是
宇宙浩瀚中的新綠
新世紀火光中的流形

大野翠綠之中　襯托
一片片稻熟金黃
浩瀚藍空之內　飄忽
一朵朵浮雲如雪　讓

遠山動情含笑
溪流開懷歌唱

西螺長虹臥波
連接南來北往匆忙　讓
時針在此擺渡
輪軸轉動飛躍
爲人生爭回一分
休閒情逸

八卦山　涅槃大佛
守著月圓月缺
遍數季節輪迴
藉香火歷程
普渡人生過客
一路順風

馬達聲中　煙塵掩月
燒天火炬　照亮夜空
高速路上　滿眼光華
星光澈照椰林
款擺歡舞　以萬篇詩唱
亦吟不盡
光天化日下
萬紫千紅的寶島新景

原載七十七年六月廿一日忠義報

沾襟熱淚吟蓼莪

高山大樹
在風雨中迷失
萬水千山之外
聞不到兒時呼喚
喝不到母調羹湯
萍蹤播種離鄉思慕
年年春草　歲歲叢生
荒煙野蔓中　我
祖墳塋　卻在
紅禍浩劫中　冷落了
四十一春香火

祖德化育藍氏門中
長發其祥的長流
繁衍綿延　飲福受祚
苦難落在我輩身上
在連年風雨惡夢中
兵連禍接離亂
夭殤挫折苦痛　寫就
雷雨之夜的暗然情景
風撼樹傾　淚雨江河
卒使春季無歌
淪入陣陣傷痛

承恩乳密哺育
身受枕臂抱負　遂使
成長茁壯　由斯
浪跡天涯　萍蹤飄忽
面山　面樹

菽水無歡　晨昏空待
深知木本水源
罪孽深重

得慶　鐵幕重開
探山觀水　家人重聚
江山依舊　人事全非
毀家蕩產之禍　刻骨銘心
遂命在鄉嗣孫　從
荒煙野蔓中
重建先人廬墓　擇吉
築佳城於張天湖之陽
合父母之魂　重聚勝境
陽山浩渺　南望虎坑
由斯　我父我母
羈魂有伴
稍盡我人子之思

際茲　圓墳吉旦
俯伏桃園居前
焚香頂禮　合十上報
羞憤中　淚濕青衫
泣吟蓼莪
原載七十八年元月十二日忠義報

後記：半世紀赤禍連綿，大陸河山變色，我父二母未及遠避，以致我父樹芳憂傷先棄，廖母旋亦接踵病故，陳母憂患餘生，在鐵幕中苦渡十載，終亦在文革動亂中，被鬥而亡，紅禍之中，父母三人草草入土，余三十六年來台，從此天人遠隔，生未盡人子之養，菽水無歡，死未盡人子之孝，親視含殮，午夜夢回，深知罪孽深重，愧對先人，客歲鐵幕洞開，得知家人尚存三戶，特請家嫂回鄉，濟以巨資，撫幼安老，並責令舍侄叔文，建宅修墓，使生者安身立命，死者羈魂有伴，擇吉將先父先母三人，合葬於龍南黃沙張天湖之陽，於農曆七十七年十二月五日進筋樹碑，九日圓墳奠祭宴會親友，哀餘深思，自感聊盡人子之義，成本詩為記。

冬令進補

冬至過後　遠空
雲暗　風嘯天高
林樹一片寒瘮
滿眼風景都消瘦了

瀕臨　大寒時節
臘鼓聲中　寒氣侵人
橋頭小店的水缸招牌
明滅閃爍　打出
香肉上市商招
誘人垂涎

入夜　月冷星稀
遠近人家老饕
結伴小酌　一時
小店頓成鬧市
大小酒杯　朝天吶喚
長青俱樂部的老友
該進補了吧　嚇得
尿街野犬　捲尾
落荒竄逃

原載七十八年二月五日台灣時報副刊

送歲

不必懷恨臘鼓
敲響送歲寒磣　春天
很快會再度來臨
年關總是這樣

歲歲年年　令人傷感
一切不稱心都已過去
三百六十五天且成歷史
所有的汗珠都育出了新綠
所有的心血都化成了金穗
何必還掛懷昨天

遭逢的疏失憂憤
且把擔子放下吧
團年度歲總是一件樂事
圍爐　將昨日展讀
想過去生活情景
看今日時代文明
昨天所有付出　都已
累積成人世經驗

走出牛推磨的歲月
擺脫四季輪迴　循直線
向前躍進　四十多年日子
終於創造出　世人
讚譽的經驗奇蹟

當送歲的爆聲四處響起

萬戶桃符換新　迎面是
萬紫千紅的新歲
檢視現代　放眼天下
寶島大陣　大地風動
昂揚前進的韻律大步
隨鐘擺起舞　在
化雪後的晴空朗照下
馬達聲喧　笙歌處處
明天　又將是一季
色澤金黃　大有豐收
繁花碩果盛夏

原載七十八年二月五日新聞晚報

夜宿獅頭山

沿曲折山徑
越中港溪　從南莊
追蹤西斜落日
到達獅頭山上

當禪堂暮鼓敲落夕照
晚風歸鳥　喚出
山中千盞神燈
澈照修竹搖枝　松濤擺舞
夜色秀麗如畫

自古佛家　林隱僧寺
道場恒設於高山林泉之間
梵音與澗水和歌
山風配松濤共舞
從超塵脫俗中
出世爲仙翁道長
成就隱逸淸範
難得浮生半日閒情
作伴長靑之旅
今夜有幸　宿於
安國朝山樓上
推窗遠望　星空下
滿眼曚矓勝景
遠近丘陵　若垤若穴
山風傳來唧唧蟲聲
夜燈從薄霧中　寫出

遠近僧寺塔影
恬靜如詩
我身似覺入禪

原載七十八年三月十八日新聞晚報

轎夫

在這行討生活　肩頭
是富貴人家的路
世道崎嶇
路路都是坎坷
連小石子　亦在
草鞋底下頂撞

世間多小徑
肩路通關山
三岔路口誰非失路
十里長亭　雖能

187　轎夫

遮蔭避雨　打尖息腳
百里行程　仍須
一步一尺度量

斗笠頂著炎陽
肩負人家玉體
步步踏實之中
小心肩路平隱　儘管
日落月升
聽命兼程趕路
任星星在漫天狂笑
亦不敢息腳顧盼

富貴貧賤
肩上腳下　冷暖分明
世事中　分劃出
現代文明　荒古困境

高速路上　車流匆匆
還有誰會憶起
轎夫生涯　個中滋味

原載七十八年四月二十三日新聞晚報

説古

想當年的意氣風發
像一碗水　在
口乾時的邊際效用
令人舒暢

人同此心　便有
許多舊話要說

充耳　而有
盤古時代的傳奇
奏皇漢武的事功

貞觀年間的治蹟　以及
乾隆江南戲鳳遊情
代代相傳
化成頁頁滄桑

無古不成今
說古並非賤近
古是源　今爲流
源遠流長的歷史　才能
在後世臉上貼金

原載七十八年六月一日忠義報

陋居銘

陋居無樓
近街濱海　室廣庭寬
院中桂馥蘭薰
香風四時不絕
老硯課餘　將所有
傳播世情讀盡
恬澹自適
心地泰然

門開雙行廣道
人來人往中

儘是書香之客　效
巴山吟詠把臂　四時
心月亮麗　詩心
常沸滿室歡聲
牆外　接鄰公園
花木扶疏　綠紅中
獨鍾那叢修竹
拾枯煮水　時增
陋居茶香

酬夏一把蒲扇

世事如棋
局局更新　有誰
還會憂心明天
腸子會被風乾
肚子會成坑谷

進入　一季
蟬歌盛夏
稻香迎來溽暑　正
蛙鼓撩人時節
枕中無夢

筆下無詩
濃茶沖不淡閒愁
香煙燒不滅汗珠

梧桐大院
綠蔭下 眾家祖母
酬夏一把蒲扇
搖動楚江秋意 在
子孫趣庭追逐之外
談古往舊事
說時下新奇
敘探親熱事
眾口意趣飛揚
泛濫一季蒔香

原載秋水六十二期

中元致詩鬼李賀

中元處夷則之辰
天高雲淡　荻飛梧落
心境滿懷悽愴
時非吟詩日子

數千萬野祭香火
滿空紙灰飛揚
梵唱配社鼓鼕鼕
正人間追遠時節

自屏風曲　蝴蝶飛

那些唯美冷艷新句
從你案頭飄出
在洛陽　在長安　在
晚唐積弱的中國遍處
串串詩聲　讓
長安酒樓　騷人墨客
如享大斗陳年花雕
腑肺生香
大唐不幸　你
年方二十有七
便駕鶴西去　從此
你不在人間
亦不在唐詩三百首中
讓聞世錦囊弱馬　在
中國文化史上
冷落千年

197　中元致詩鬼李賀

人說　中元鬼門大開
開門你就出來吧
就算悠遊時日不多
享片刻騰雲
瀏覽人間　道場香火
從木魚梵唱聲中
收受神佛超度　籍香火
點亮心燈　燙平詩腸　重溫
歌妓舞舌　樂工和琴
美人勸酒　才子歌詩
煥發當年　走馬
負囊尋詩才情
重譜入夢詩聲

原載七十八年八月十六日忠義副刊

早安龍南

三更燈火
燒盡黑夜之後
五更雞唱
喚醒東升朝陽
晨光普照南埜
百花齊放　眾鳥和鳴
桃　濂　渥　洒四水揚歌
處處都在晨呼
早安　龍南
如今　雖然

東山已無曉鐘
金鉤未聞木笛
八堡鄉人　聞雞起舞
全民同步　上陣入線
已經走出了
牛推磨的輪迴歲月
早安　龍南
晨間一天扉頁　欣聞
大陣歌聲雷動
前進步伐昂揚
處處有人奮臂
書寫當代春秋
人人都在編織
時代文明錦繡
明日　如詩如畫
願吾儕　以虔誠

點燃一炷馨香
藉香火　燙平昨日心境
洗淨憂傷　讓每個心空
重回無風無雨晴朗
用書香光大純樸鄉風
以祥和再造人樂堯天

原載七十八年八月十五日忠義副刊

探山觀水

太陽還很年輕
我們已經老了

日日陪太陽起床
送太陽西沉　陪送了
六十五載晨昏
應該優閒歲月
爲何還要上天過海
去嚐受含淚歸鄉的苦澀

祇緣

黃沙那片鄉土　曾經以
乳密　哺我　育我　長我
不管是否山窮水盡
山未走　水在流
張天湖的祖墳
在荒煙野蔓中　卻
冷落了四十一年香火

昨日　已成黃花
儘管鄉愁陣陣
不必情怯　就以
探山觀水的心情回去
向山中獻一柱馨香
對流水說幾句叮嚀
將影子留在水上
亦算是今生交棒傳家

原載七十七年八月十三日新聞晚報

探山

闊別四十多年後的日子
再亦沒有心情　向父親
細訴昨天的流水

世事　在風雨中
滄桑了幾萬種面貌
古事　說不全那一個版本
今事　亦理不出那一段情節
祇有滂沱淚水
在敘述我的心事
告白我的內疚

當鞭爆把我喚醒
我問父親　當年
我是否亦有許諾
野風中　依然祇有
香煙裊裊　紙灰飛揚

原載秋水六十三期

驚會

驀然　瞥見
似曾相識的白髮慈客
向我木然走近
每一步止　顯示
顫抖　羞澀　狂喜

四十多年
風乾無淚的眼睛
一時成爲
決口的江河

此刻　我習慣
孤獨飄泊的靈魂
始覺已經回到
年青時候的家

原載秋水六十三期

昨日

昨日　島上每個人都像
冰雪大地的枯枝落木
一身寒磣　張口
便有嗩吶悽涼

從風雨中的歲月走出
生活煎熬出一身瘦骨
賴地瓜充饑活命
披債契充寒衣過冬
路路坎坷　連小石子
亦在腳下頂撞

月上椰梢　街頭巷尾
多數門窗暗掩　街燈下
聽木覆磨響大地
配盲女笛聲
譜成街市夜曲
充耳祇聞遠近犬吠
在逝去的荒涼昨日
寒天冰水　苦難連綿
有誰還能指望明天
要聽誰的歌
看那家的戲　總是
踩著地老天荒
聽天由命
隨牛推磨的歲月輪迴

原載七十八年九月十八日忠義副刊

浮生何處半日閒

進入山林　總想
擺脫塵俗
伴古松留守岡巒　任
群翅棲息　飛鼠攀援
閒享拂衣山風
比松濤共舞

無奈　林壑蔚然中
澗流淙淙　鳥鳴啾啾
配天籟成美曲
雖綠茵石枕

亦難參禪入夢

迎面一陣山風

木笛和歌

仰觀晴嵐　忽見

黃口嗷嗷　飛鳥匆匆

禪思頓悟

天人一體　萬物無異

爲填補流逝空虛

澗水亦無駐腳閒情

原載七十八年十月二十四日忠義副刊

秋來連宵甜夢

入秋　心神風發
負恨探山　懷血觀水
渡大海　越關山
回鄉走圓一生殘夢

從龍南黃沙　帶著
幾片紅葉歸來　見
青山雖頹
松竹猶存
老安少懷　已竭盡
長者之義
心中無債　牽掛冰消

當晚鐘喚醒滿天星斗
仰視皓月當空
普照千里　窗櫺中
幾曾會心對笑
細數隴畝田園
紅豆新芽成長
青苗茁壯　越過殘冬
望春　將又一季蓬勃
閒來　守硯問古
心靜無波
燈前推窗　桂香飄送
秋風配天籟洗耳
隱聞　春夜桃李園中
詩聲朗朗　伴我
夜夜甜夢

原載七十八年十二月二十四日忠義副刊

忘懷

我常想　把
過去的當年昨日
拋棄腦後　總在
不經意間　又記起
一些結疤傷痕
一些變色照片　而
心緒忐忑　暗自浩歎
眞的　若能
忘懷悲歡離合
忘懷情仇尤怨
留下愛與同情
留下滿懷陽光

人面將更爲春風
眾樹會歌聲不絕

原載妙材第二卷第一期

給仙龍

你在大海洋的長流上
追著趕路的月光　曾
在背後留下一串腳印
化出心田中種子巢穴
已長成植根的樹
在眾山沉默

鵬程更上　你如今
寓居在海的眾山中
瀚海無涯　長風萬里
追星攬月的腳步匆匆
大海嫠婦的風濤處處

水聲浪花的笙歌歲月
不要揷下那枝秀筆
就是躍升在濤聲之顚
亦不要捨棄　從
格子上走出衆山
以竟風雨名山大業

原載七十八年十二月二十日台時副刊

愛情的溫度

在百業爭榮的時代層面上
愛情不是甚麼顏色　但
愛情確有許多顏色
愛情應該沒有溫度　而
愛情卻常有溫度
有時能煮熟心願
有時亦會燒焦靈魂
甚至　燒毀故國河山

在慘綠年華的青澀日子裡
愛情的溫度像貓　能
溫暖心靈　使雪夜

凍殭的軀體復甦
雖然 當時
麵包很小 棉被很薄
里程艱困
手腳總是暖暖的
臉色總是紅紅的

在多夢的青春年華日子裡
愛情的溫度卻像爐火
烈烈態態的在燃燒自己
鍛鍊成鐵打金剛
塑造成擎天英雄 爲
種族繁衍綿延 讓
歷史有花有果

到日薄西山的暮年日子
愛情的溫度同溫聖火

慈光普照下　總是以
老太婆唸佛心情　藉香火
撫慰傷口　燙貼心境
借佛燈　導引光明
照耀人生　任烈火焚身
亦不願見再生火花
把周遭燒成許多窟窿

原載七十九年八月二日台時副刊

啞

言者如魯達
道者如平仲
舌瓣蓮花　亦不過
能說些人生因緣
辨識世事際遇
卻說不活荒坵中
一株垂死的樹
許多言詞　不過是
空谷回音　複寫
人世間恩恩怨怨

沉默是金　少說無害
許多通情世道
手語美化之外　還是
儘在不言中者至善

原載七十九年七月二十日市政周刊

給木偶的諍言

我們都不是
三家村裡的村民　對
任何扮演神仙的木偶
都有確切認知　瞭解
你們為何戀棧舞台
因為穿慣了龍袍
戴上紗帽就能威風八面
就是你們願意換穿夾克
腦袋不換亦是枉然
你們一生祇學會一個調子
西皮流水全是陳腔濫調

早已流爲古董　即使
你們都是金嗓子
唱盡各種花腔
亦唱不悅時代人心
更配合不上流行舞步

樣板時代　早已被
潮流逼退　你們會的
那些退色古玩　不知道
還會有多少人喜歡
觀眾離棄　就該謝幕
前台的燈光再亮
亦不會有誰願意回頭捧場

應該睜眼看看
今日是甚麼時代
像你們如斯執著

扮演魑魅魍魎的丑角
舞台上鬼影幢幢　還會有誰
爲你們鼓掌喝采

原載七十九年七月十四日台時副刊

瘸

雖然碌登碌登一生踅行
踱碟蹉跎許多歲月
人生天作　又能向誰怨懟

一生踉踉蹌蹌
歷盡蹣跚里程　尚能
一步一個腳印
在無跌宕安然中
不甚不悖

躄子　雖未曾登泰山
比高龣松修竹　心境中

尙有幾畝自闢田園
植和靖之梅
種陶潛之菊
梅妻鶴子 採菊東籬
恬淡無惻 亦能
時見南山

原載七十九年六月二十二日高雄市市政周刊

盲

儘管黑暗全包裹我們
卻有人說
黑色是美麗的
當日晷移轉到
沒有時值的蒼茫
正是你們的夢宵
亦是我們所視所感
沒有陰晴　沒有圓缺
一片純淨世界

誰說我們是瞎子
心燈如月

澈照六合 以我們
無美無醜的大同心念
單純無色的永恒內在
盡你們一生心力追求
亦未必能摸索到
我們心境中的這一個圓

原載七十九年五月二十七日台時副刊

愛情不是什麼顏色

人面桃花之美　能
令逐臭之夫　瘋狂癡迷
但在包裝盛行時代
裝頭蓋面　是否能
贏得心相期許的愛情　卻
令人懷疑　原因是
愛情並非是甚麼顏色

有人說：愛情是
女人的信仰　男人的神話
我不會爲斯項理念舉手
因爲會心的那團泥

彼此同生共存
你儂我儂的愛意
總是那樣盤根錯節
像一棵樹一叢花
種植在兩人心上
情話每一句都是契約
將彼此纏得緊緊的
除非日月不照大地
除非腦袋不在肩上
否則你知他知的事
盡貝絲。賽絡瑪的最大風速
永遠亦不會被吹去

情曲　散發的熱能如火
能鞣以爲輪　百煉成鋼
將所有缺陷焚毀　然後
情分交感　心相期許

始有玉階怨的癡迷
衣帶漸緩終不悔
爲情霜露立終宵

原載七十九年五月七日台時副刊

因為心中有愛

——給培老——

夕陽下　有許多
古道西風瘦馬心情
人皆彷彿

雖然玫瑰多刺　但有分定
相逢知己　一旦
桃紅化成香泉
往心中流注
心海頓成汪洋
不是人老都不善飯

天性自生自成
人間鴻福化出的緣
從許多盤根錯節中
心泉滋潤乾枯
熱情化育春綠
春溫油然　心溫復生

儘管　花季聞鶯
荒疏老硯
西山得月　花下風馨
有情有意
終不悔身輕衣暖
因爲心中有愛

原載七十九年三月三十日台時副刊

捧起一掌早春詩興

——迎接八〇年代新歲——

走過一歲
靈蛇獻瑞豐年
綠的織成了錦繡
黃的化出了金穗
大有裕民 人康物阜
中華百福同臻

當臘鼓靜止，爆聲響起
萬戶桃符更新 佇看
寒梅吐嫩 桃季爭妍
迎面又臨 風暖時和

春滿乾坤新歲
乍聞　鴨群聒噪江水
乃見　午馬奔騰
紫雲滿空　晨光燦爛
彩繪大地　霎時
大陣歌聲風動
前進步伐昂揚　歡欣
捧起一掌早春詩興　邀同
長安風雅　今代繆斯
爲新的一年中華新願
擊鉢傳鐘　迎春接福
吟哦時代大章

原載七十九年一月二日台灣日報副刊

春滿乾坤

瑞雪　飄舞耀華新景
鼷鼓　頻催傳世梅香
站立在　一九八九年關線上
看千門萬戶　桃符換歲
聽大街小巷　爆聲迎春
玉山之下　薄海騰歡
全民舉森林威武之臂
楊青天白日壯麗國旗
同聲祝福歡呼　迎接
光華燦爛的九十年代來臨

展讀落筆寫就
三百六十五天己已新史
一頁頁全民晨課
在操練時代志節
一響響打卡鐘聲
在累積日月成長標高
一盞盞萬家燈火
在燃燒黑夜迎接光明

我們　曾經是有失落
可是　我們並無憂傷
儘管貪婪人慾　在追逐功利
儘管憤恨攻擊　在循私愚謀
而我們以祥和化解
立位的座標　卻仍在
日就月將　百尺竿頭上升
仁風化育出新的一代鵬程

如天如海　自然浩瀚
明日如詩如畫

迎面時風浩蕩
紫雲如蓋　春滿乾坤
大陣歌聲雷動
前進步伐齊整
歲序更新　不必問
駑馬十駕　騏驥千里
風雨同舟　明日將在
陽光普照下
迎拂一臉春風
借大千畫筆　沾敦煌聖靈
彩繪中華大地
以大匠神技　沿曲阜仁懷
編織民國錦繡　以古中華
五千年泱泱文采

重歌漢唐雄風

歲序更新　光華復旦
全民並肩攜手　以前進大步
迎春接福　和氣生財
以同步腹鼓擊壤堯歌
高唱梅歌頌句　祝福
九十年代開新運
民國雄風一品題

原載七十九年一月勝利之光四百二十一期

閒在陋室享茶香

歸田　富貴寧靜
東籬無栽粉菊
南山並未種豆
無須提籃荷鋤
斗室問古　窗下讀今
遼東尚無帽客閒情
陋居無樓　難成
登高雅賦
室廣庭寬　尚有
百卉時妍
隨興揮毫　老硯不乾
筆紙幸無空白

憂患餘生
華髮搖籃之年
升斗之家　有幸
戶對雙行廣道
門鈴常響
時多巴山夜雨之聚
屈膝閒情　談笑間
聞香杯　常不離手
歡欣共享一壺茶香

原載七十九年十月十三日台時副刊

五月吟板

聽千江鑼鼓吶喚
打傘進入豔陽盛夏
椰樹迎風　蟬歌四起
綠的　已成錦繡
黃的　化出金穗
五月　確有許多會心喜悅

粽子　是否包著離騷天問
蒲劍　是否眞能降魔斬妖
該去問佛老或繆斯
並不重要　年年
江畔行吟　已歷

二千年不絕　爲
中華文化傳存
堪入閣上丹青

且把雄黃調酒
驅除擾人蚊蚋　讓
千樹鳳凰爲五毒垂淚
使季節重回寧靜
亦好讓眾家蒲扇閒情
搖動楚江秋意
五月詩心遍處燃燒

原載八十年六月十六日台時副刊

贈日本訪高詩人

有緣　接識到
像李賀負囊雲遊的
日本十一家繆斯
內心確感十分樂事
就算是萍逢　亦是
三百年前　天賜
投緣的時空交會
並非偶然可得
今夜　隱聞愛河
競渡的鼓聲在響

舉杯邀不到明月
日光燈下　清茶聞香
祇是半紙秀才人情
品嚐到的　乃中國人
一片淺淺淡淡詩心

東方　太陽隆陞方位
寫詩的人有福了　在
如斯混濁的大宇下
以陽和詩香化成清流
洗淨大千塵染　讓人生
在享受文明之後　更爲
雅緻　雋永　亮麗

八十年六月十四日於桃園居

注：八十年六月十四日晚日本詩人一行十一人旅遊蒞高、由牙醫詩人沙白邀集高雄詩友多人共聚茶敘成本詩記盛

贈菈華國際詩人

眞的　大家又見面了
在蟬歌唱熟稻香的季節
在杜鵑城的層樓上
握手言歡　同席品詩

是誰說的　詩人是
穿燈草絨的平民
T恤熱褲　背包芒鞋
才是眞正詩家模樣
大家如此　我穿香港衫的
亦算是入流了

遠客個個行囊空鬆
諾大空間　是否要把
林和靖　陶潛手裁的
收納囊中　李賀便是如此
肩囊弱馬天涯

昨夜
不知賈島
是否敲過你們的門
朋友　你我都是
喝西北風長大的狂人
彼此都有傲骨　都很偉大
寧爲烏鴉　不事喜鵲
詩心千頭緒　祇想
化出一條青溪
能夠共濯行腳　願明日
榮膺桂冠　成就

詩聖　詩仙　詩佛雅號
握手之誼　亦有榮焉

八十年七月五日桃園居

後記：一九九一年世界詩人文化大會，於七月二日起一連四天在中華民國台北市中山堂召開，國際詩友百十餘人，聚首一堂，筆者奉邀入座成本詩以誌盛。

藍善仁年表

民十二年（一九二三）　四月初五日生於江西省龍南縣黃沙鄉中村赤梓樹下藍屋，父樹芳，母陳氏，兄姊四人，排行老么。

民十五年（一九二六）　祖父光訓公病篤，爲沖喜，父命與同村鍾屋，鍾彩龍長女鍾聲招成婚。

民二十年（一九三十）　自幼體弱多病，至今年屆八歲，始入小學。

民二六年（一九三七）　黃沙小學畢業，家父任校長。因縣中中學初創，且黃沙距城路遠，食宿困難，進入陳文炳先生私熟讀經史，學作詩文，對文學奠基，頗獲得益。

民二八年（一九三九）　入贛南中學。

民二九年（一九四〇）　妻鍾聲招歸門。與善佐兄分家。

民三十年（一九四一）　三月入青年團。七月因病休學，翌年復學。九月丁父憂。

民三二年（一九四三）初中畢業。旋任教黃沙中心小學。兼鄉宣傳隊長，民教班導師。得一女名小蘋。

民三三年（一九四四）考入省立龍南師範高師部。

發表第一篇新詩「春天」刊龍南日報。

得一子名希賢。

民三四年（一九四五）創辦純文藝師風報，自任社長。

民三五年（一九四六）接辦巋美話劇團，演出「桃李春風」，「藍蝴蝶」，並參加校外演出「日出」，「山城的怒吼」。等話劇。

民三六年（一九四七）高師畢業，校長葉新先生。

詩稿結集爲「莽原」，石印出版，成書在動亂中散失無餘。

七月自費旅台，八月出任新竹縣立芎林中學教職。

民三七年（一九四八）辭卸中學教職，入海軍任同中尉軍職。

民三九年（一九五〇）中國國民黨特種黨部遴選任區級改造委員兼書記。

民四十年（一九五一）調任海軍軍官學校任隊職。晉升上尉。

民四二年（一九五三）國防部政幹班一期結業。

國軍政治工作人員甄試優等及格。

民四三年（一九五四）考試院公務人員登記，奉銓敘檢定委任職合格。

民四五年（一九五六）　當選軍紀模範，優良基層幹部。
寫「海洋大合唱」五大樂章，由陳冠軍譜曲。
海軍官兵全軍論文比賽獲軍官級首獎。
受聘海訊日報，力行月刊特約通信員。

民四六年（一九七五）　政工幹部學校初級班畢業
晉升少校。調任海軍軍官學校政治系教官。
主編官校校刊。受聘海軍月刊特約撰述。
承辦單位戶口普查，成績特優，奉內政部敘頒獎狀。

民四七年（一九五八）　服務海軍官校五年以上成績優良奉頒績優獎狀。

民四八年（一九五九）　調任官校政一科，主管政治教育，創立政教日（今莒光日）考取海軍政士。
受聘中國海軍月刊特約撰述。

民四九年（一九六〇）　忠誠勤敏，卓著勳勞，奉　總統頒授忠勤勳章乙座。服務海軍十年以上勳績優異奉總司令頒授海風獎章。
丁母憂，在台服役，無法回鄉奔喪。

民五十年（一九六一）　任政戰工作忠誠勤敏，成績優異奉總政戰部頒授政工之光。累功奉頒海勛獎章。「二十世紀何以是三民主義世紀」論文獲中央論文競賽優勝獎。

民五一年（一九六二）累功奉頒「海功」，「海光」獎章各乙座。

受聘軍中電台時評特約撰述。

民五二年（一九六三）政工幹部學校高級班畢業。

擔任海軍官校校史協編，撰海軍先賢評介專文三篇經收入海軍軍史館先賢史料專輯。

累功奉頒「一星海風」，「一星海績」獎章各乙座。

民五三年（一九六四）主辦三軍政治教育示範績優，奉頒海風二星獎章。晉升中校。

民五四年（一九六五）調任海軍總司令部政二處文宣首席參謀官。

策訂文宣工作帶動到基層作法，國防部校閱考評特優。

協助辦理國軍第一屆文藝競賽及文藝大會。

加入中國文藝協會。

民五五年（一九六六）兼任救國團總團部活動組聯絡專員。

協同籌組成立海軍小海光劇校。

創辦海軍文藝週，發展成今日全國性的文藝季。

組織文化訪問團，展開環島宣傳訪問。

積功奉頒：「一星海勛」「一星海績」獎章各壹座。

民五六年（一九六七）奉派參與國防部文宣實驗檢驗觀摩小組，驗收實驗成效。
奉派擔任海軍總司令部年度校閱官。
主辦海軍新文藝成果展覽，評比三軍最優。
主編海軍新文藝叢書第一輯。
協同支援美國福斯公司，在台拍攝聖保羅砲艇影片，順利完成拍攝工作，頗獲佳評。

民五七年（一九六八）海軍參謀大學畢業，畢業論文獲首獎。
代表海軍隨總政戰部副主任王中將，巡視綠島。

民五八年（一九六九）主辦襄陽演習三軍聯合文宣工作。
主辦海軍新文藝祝壽美展。
積功奉頒海功獎章。

民五九年（一九七〇）調任馬祖巡防處政戰主任。
創作雲台詩稿五十三篇，並重新開始寫傳統詩，刊載中國詩文月刊。
隨防區司令官李中將巡視亮島。

民六十年（一九七一）調任海軍總司令部政一處主管全軍政策。
晉升上校。奉頒海軍一星海光獎章。

民六一年（一九七二）「大哉中華」千行史詩榮獲海軍首屆全錨獎。
入中央政治大學教育中心，進修行政管理，企業管理。
應海軍參謀大學之邀，對全校員生，作文宣心戰現況報告。
歌詞「海峽進軍曲」由鄧鎮湘寫曲，選入海軍軍歌歌曲集，並製成唱片，列入軍歌教唱範本。
參與政二處心戰小組撰述。

民六二年（一九七三）調任海軍總司令部政戰部行政室副主任，兼任羅建中辦公室秘書。
忠誠勤敏卓著勛績奉　總統頒授忠勤一星勛章壹座。

民六三年（一九七四）歌詞「自强頌」獲教育部黃自先生紀念歌詞創作獎。
積功奉頒二星海勛獎章乙座。

民六四年（一九七五）歌詞「農家謠」獲教育部紀念黃自先生歌詞創作獎，由楊兆禎教授寫譜，經收入中國藝術名歌選。
「小康之歌」獲台灣省教育廳優良歌曲獎。
任海軍文藝競賽評審。

民六五年（一九七六）積功奉頒二星海績獎章乙座。
出席國軍文藝大會、全國詩人大會。

民六六年（一九七七）調任咨議官。限齡退役。

民六七年（一九七八）進入高雄市私立明誠中學高中部任教職。
歌詞「誰能忽視我們的力量」由林金池作曲，入選中國時報，徵選歌曲，並編入中等學校軍歌教材。

民六八年（一九七九）歌詞「大時代的謳歌」獲國軍十五屆文藝金像獎。
加入中國歌詞作家學會。
加入大海洋詩刊任編委召集人。
參加中央政治大學文藝進修。

民六九年（一九八〇）「如何建設大高雄」論文獲國際同濟會徵文優勝獎。
「梅花千樹舞嬌姿」獲青溪文藝競賽歌詞佳作獎。
加入青溪文藝學會，中國新詩學會，中國傳統詩學會。
出席全國詩人節大會。

民七十年（一九八一）歌詞「中華頌」獲新聞局徵選優良歌曲獎，並收入專輯，製作錄音帶推廣。
長詩「大漢天聲一脈傳」。獲青溪文藝金環獎。

民七一年（一九八二）歌詞：「吾愛吾家」獲農發會徵選優良歌詞獎。

民七二年（一九八三）長詩：「萬壽山前一高雄」獲高雄市徵詩徵文，現代詩首獎，歌詞：「安和樂利花迎人」由賴錦松作曲，入選中廣花蓮台，安和樂利節目主題曲。
參加中央日報作者春節聯誼茶會。
歌詞：「神州復興頌」由賴錦松作曲，獲國軍文藝競賽佳作。
參與籌組青溪文藝學命高市分會，並當選首屆監事。

民七三年（一九八四）

長詩：「永懷　蔣公」。收入新詩學會編印永遠懷念專輯。由新詩學會推荐，經中國名人傳記中心，納編中華民國現代名人錄。
奉高雄市新聞處邀請參加高雄地區作家參觀訪問團。
長詩：「爲光明旅途而歌」獲青溪文藝金環獎。並收入「中興之舵」專輯。
民七四年（一九八五）
參加新聞處主辦：「如何推動港都文化」。專題討論，提出十大建言，大部分由高雄市長接納推動。
歌詞：「怒吼吧！中國」。由賴錦松作曲，獲教育部文藝創作獎。
詩作：「嫁海」，「騎浪逐風者歌」「老水手」「起錨」「夜航」「海鷗之歌」「月下望海」七篇，收入大海洋詩刊出版的大海海洋詩選。
應行政院新聞局邀請參加作家經濟建設參觀訪問團訪問工商業界。
出席海軍忠義報作者座談會，討論：「文學的時代使命」。擔任總

民七五年（一九八六）

講評。

作品「在那飛揚的日子」獲海軍十五屆文藝金錨獎。

出席文協「文苑雅集」討論詩的語言轉化專題。

第一屆世界自由詩人大會朗誦會，作品「自由中國頌」獲大會華瞻獎。

出席國立海專主辦中華民國第一屆海洋文學詩歌研討會，提出海洋詩品報告。

「向至聖先師膜拜」詩作，選入大港都組曲專輯。

「聖殿之歌」，由賴錦松作曲，入選七屆高雄市文藝季，大港都組曲發表會演唱。

民七六年（一九八七）

當選連任青溪文藝學會高雄市分會監事。

出席第七屆中韓作家會議。

出席文協藝文雅集，討論岳宗「寸草集」。

出席國立海專主辦中華民國第二屆海洋文學詩歌研討會，詩作「海洋頌」在大會朗誦。

奉邀參加中國造船公司：「船舸的饗宴」。文藝之旅。

民七七年（一九八八）

詩作：「走圓一生殘夢」經台灣時報刊出後，經北京發行全國「參考消息報」及「龍南文藝」轉載，並刊入「龍南文獻」。
隨中學教師旅遊訪問團，遊訪香港泰國。作「港泰旅遊九記」，誌盛。
「海，謎一樣的名字」，「子午線上的迷惘」，「詩人」三篇詩作，經收入由藍海文主編「當代台灣時萃」。
歌詞「大陣九歌」經忠義報連載。

民七八年（一九八九）
詩作「燈火」，「山之春」，「天涼好箇秋」。三篇收入秋水詩選。
出席中華文化復興運動推行委員會，「九九文會」。
「聖殿之歌」再次列入大港都組曲創作發表會演唱。
返鄉探親。寫歸鄉抒懷十四帖分別在兩岸報刊刊出「前進龍南」一帖，經贛南日報刊出後，江西省年度作品評鑑，評爲年度好詩。

民七九年（一九九〇）
受聘擔任海軍出版社徵文競賽評審。
當選青溪文藝學會高雄市分會理事。
出席文藝界重陽敬老聯誼活動。
推動青溪文藝著有成績奉頒獎狀。
「奔向彩色時代」獲青溪文藝金環獎。

民八十年（一九九一）

重寫「長城謠」新詞，獲麥香公司，優勝獎。

參加中國石油公司，高雄煉油總廠主辦，全國文藝作家出塵之旅。

於私立明誠工業家事高級職業學校，第二次任職退休。

參加新聞局主辦，慶祝建國八十年文藝作家春季農村之旅。

參加聯合報四十周年社慶，澄清湖六公里路跑，獲高齡組第八名。

六月參加軍管區八十年度優良輔導幹部訪問金門。

六月三十日參加中國作家藝術家聯盟成立大會。

七月二日參加一九九一年世界詩人文化大會。

藍善仁作品一覽表

一、已出版作品

1.莽原（文華印務局）
2.大哉中華（海軍總司令部）
3.心靈上的陽光（文史哲出版社）
4.青溪涓涓流過（文史哲出版社）

二、已完成集稿計劃出版作品

1.太陽照不到的地方
2.響自我心弦上的歌
3.交流道上
4.老婦人的佛心

三、作品選入之選集

1.海軍新文藝作品選集（海軍文輔會）

2.中興之舵（中興出版社）
3.中國海洋詩選（大海洋詩刊社）
4.當代臺灣詩萃（湖南文藝出版社）
5.秋水詩選（秋水詩刊社）
6.永遠的懷念（中華民國新詩學會）
7.大港都組曲（高雄市教育局）
8.江西文獻（江西同鄉會）
9.龍南文獻（龍南同鄉會）
10.中國詩文（中國詩文之友雜誌社）
11.愛國歌曲暨藝術歌曲集（教育部）
12.中等學校軍歌教材（教育部、教育廳）
13.中國藝術名歌選（文化圖書公司）
14.海軍軍歌教材（海軍總司令部）
15.優良歌曲專輯（行政院新聞局）